Rhifo efo'r
Frân Fawr Ddu

Counting with
Big Black Crow

Argraffiad cyntaf: 2013
© testun a lluniau: Jenny Williams 2013

Rhif Llyfr Safonol Rhyngwladol:
978-1-84527-315-6

Mae'r cyhoeddwyr yn cydnabod cefnogaeth ariannol
Cyngor Llyfrau Cymru

Dylunio: Elgan Griffiths

Cyhoeddwyd gan Wasg Carreg Gwalch,
12 Iard yr Orsaf, Llanrwst, Cymru LL26 0EH.
Ffôn:01492 642031
Ffacs: 01492 642502
e-bost: llyfrau@carreg-gwalch.com
lle ar y we: www.carreg-gwalch.com

Argraffwyd a chyhoeddwyd yng Nghymru

Rhifo efo'r Frân Fawr Ddu

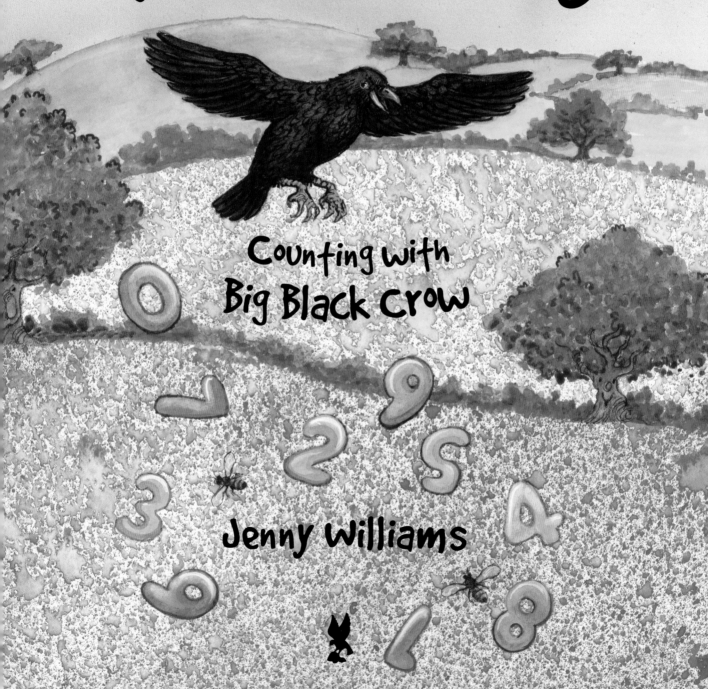

Counting with
Big Black Crow

Jenny Williams

1 Un frân
One crow

2 Dau lwynog
Two foxes

3 Tair gŵydd
Three geese

4 Pedwar cwch gwenyn
Four beehives

5 Pum mochyn
Five pigs

6 Chwe gafr

Six goats

7 Saith dafad
Seven sheep

8 Wyth iâr
Eight hens

9 Naw buwch
Nine cows

10 Deg cwningen
Ten rabbits

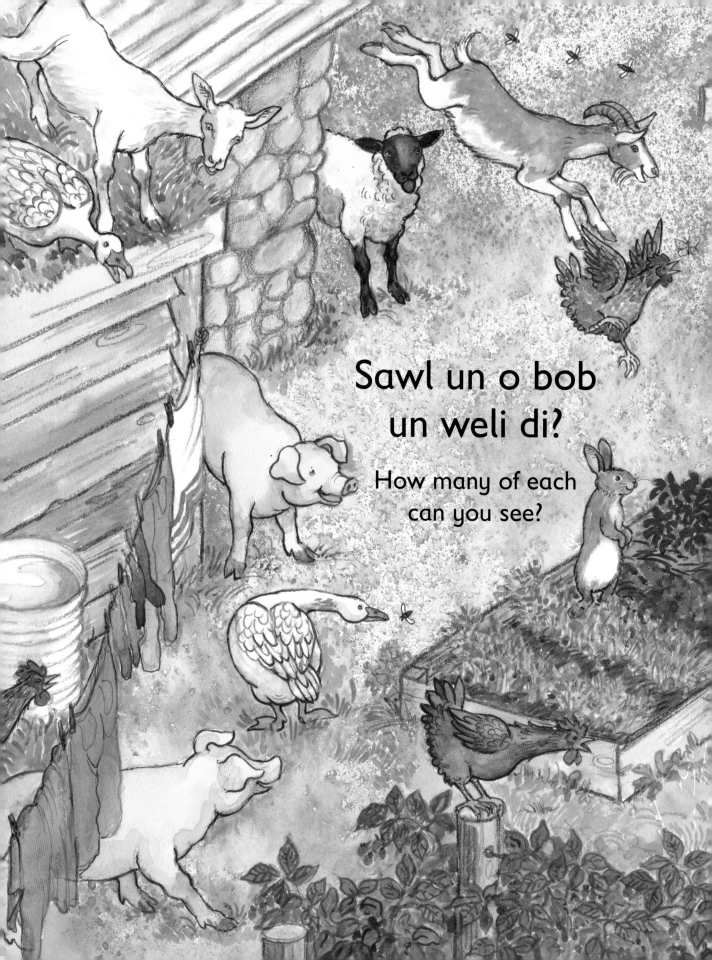

Sawl un o bob un weli di?

How many of each can you see?

10
Deg cwningen
Ten rabbits

9 Naw buwch

Nine cows

8 Wyth iâr

Eight hens

7 Saith dafad
Seven sheep

6 Chwe gafr
Six goats

5 Pum mochyn
Five pigs

4 Pedwar cwch gwenyn
Four beehives

3 Tair gŵydd
Three geese

2 Dau lwynog
Two foxes

Un frân
One crow

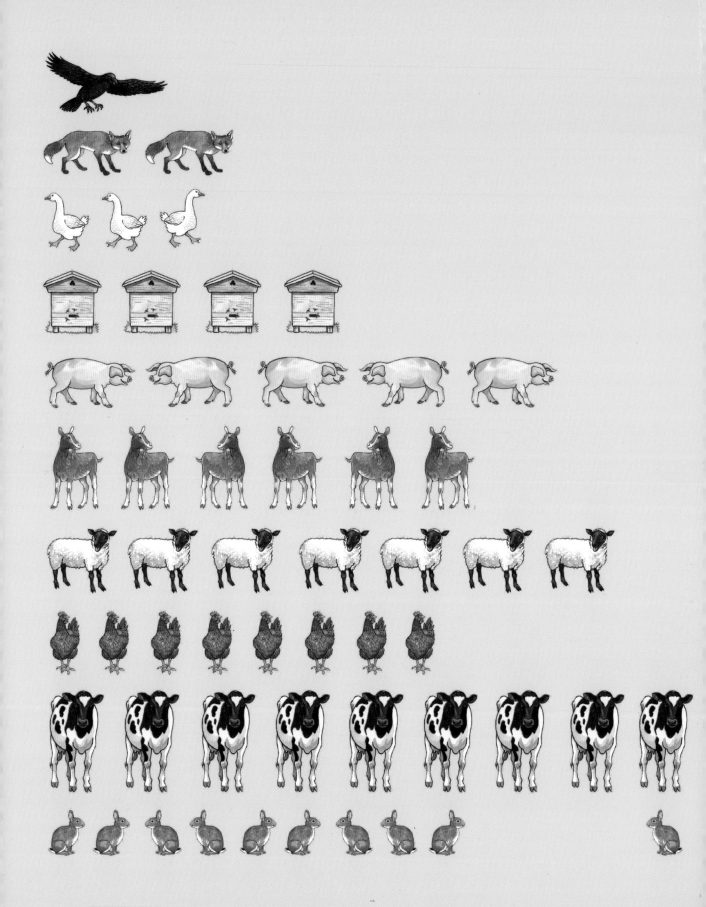